KB096393

사과하고 싶다

김세은

너에게
닿고 싶은데
네에게
닿지 못하고 있는
지금 우리 사이
지금 우리 관계
꽃을 피고 싶지만
너는 바랄까
꽃이 피우길 바랄까
꽃을 피우고 싶지만
햇살이 닿기를 바랄까
물이 닿기를 바랄까
나는 눈치를 보지만

나의 마음은
답답하기만해
사과하고 싶어
말하고 싶어
그치만
용서해줬으면 좋겠어
그치만
다시 한 번 더
마주한다는게 무서워

태양

김세은

태양이 질 때
당신이 지는 꽃이 되질
않기를
태양이 질 때
당신의 웃음이 지는 널이 되질
않기를
태양일 질 때
당신이 지는 날이 되질
않기를

아름다운 눈물

김세은

떠나는 친구에게
인사하면 흘리는 눈물
그 눈물
아름답다

떠나는 강아지에게
고마움을 떠올리는 눈물
그 눈물
아름답다

비가 그치고
꽃이 구름에게 작별인사하며
눈물을 흘리는 꽃
그 눈물
아름답다

비가 그치고

해바라기가 태양에게 인사하며

눈물을 흘리는 해바라기 꽃

그 눈물

아름답다

도망쳐봤자

김세은

도망쳐봤자
얼마나 도망갈수 있냐고
하고 싶다고
하고 싶지 않다
그저 같이 가주고 싶다고
그저 같이 함께 가주고 싶다고
그저 같이 함께 이야기를
들어주고 싶다고
그저 같이 밥 한 번 먹자고
그저 그러고 싶을 뿐이다

밤

김세은

하루를 마치며
아쉬울지도 모를
단짝이던
하루와 작별하며
하루와 이별하며
단짝과
싸우지는 않았는지
단짝과
실망하지는 않았는지
단짝과
보람차게 지냈는지
단짝과
앞으로 어떻게 더 잘 지낼지
한 번 생각해보자

낮

김세은

시작도 아니고
끝도 아니고
늘어지는
시간

시작도 아니고
끝도 아니고
늘어지는
몸매

시작도 아니고
끝도 아니고
늘어지는
고단함

피로

늘어지는

걱정

늘어지는

주름

그치만

늘어나는

경험

아침

수줍게
너에게 인사를 건네며
상쾌하게 하루를 시작하고 싶다
수줍게
너에게 인사를 건네고 싶다
꽃봉오리들은
수줍게
너에게 인사를 건네고 싶다
벌들은
수줍게 인사를 건네고 싶다
나비들도
나는 너에게
수줍게 하루를 건네고 싶디
나는 너에게
수줍게 응원을 건네고 싶다

예쁜 민낯

김세은

아침에 곁에
일어나서
너를 제일 먼저
민낯을
볼 수 있는 게
얼마나 예쁜 일인지
낮에 곁에
있어줘서
나를 제일 먼저
편하게 생각해줘서
민낯을
볼 수 있는 게

얼마나 예쁜 일인지
너는 모를 거야
오늘도
내일도
민낯으로 있어줘

추억

김세은

지나보면

다

추억이더라

라고 하는데

추억이

지나보면

다

아름답지는

않았음을

추억이

지나보면

다
기억하고 싶지는
않았음을
너는
알고 있니

그대를 보니

김세은

그대를 보니
등산을 하고 나서
휴식이 어떤 의미인지
나무의 그늘이
어떤 의미인지
햇살의 따스함이
어떤 의미인지
당신이 앞만 보는 것이 아닌
뒷모습도 보는 것이
어떤 의미인지
당신이 당신만 보는 것이 아닌
우리도 보는 것이

어떤 의미인지
나는 당신에게
배웁니다
감사합니다

다이어트

김세은

나이가 드니

다이어트가 저절로 되네

사랑 다이어트

나이가 드니

다이어트가 저절로 되네

감정 다이어트

나이가 드니

이제는

몸도

다이어트가 해야 될거 같네

기상

김세은

일어나야지

일어나야지

하니까

오후

12시네

일어나야지

일어나야지

하니까

어느새

어른이네

일어나야지

일어나야지

하니까

어느새

철이 들어야하네

나는 아직도

어린 아이이고 싶은데

매력적인가

김세은

지금

살고 있는 곳

매력적인가

지금

보고 있는 것

매력적인가

지금

행동하는 것

지금

느끼고 있는 것

매력적인가

지금

상대방

매력적인가

지금

너

너무 매력적이다

지금

너

매력을

너에게

찾도록 해라

만족

김세은

니가

만족하든

만족하지 않든

원하는 살을 살길

니가

만족하든

만족하지 않든

행복하길

니가

만족하든

만족하지 않든

니가

응원받길

내가 잘하고 있는가

김세은

내가 잘하고 있는가
내가 숨을 쉴때
예쁘게 쉬려고 하는가
그저
쉬어지는대로
아무 생각 없이 쉴 뿐이다
내가 잘하고 있는가
내가 잘 걸어올 때
예쁜 발자국을 보았는가
그저
앞으로 나아가지면 되는거다

그거면 되는 거다
그저
머무르지만 않으면 되는거다
그거면 되는거다

기다릴게

김세은

너한테

인정받지 못해도

너한테

외면받기만 해도

너한테

관심만 줄게

너한테

흥미만 줄게

너한테

마음만 줄게

너한테

나의 전부만 줄게

이것만 주면서
기다릴게
이것만 주면서
기다리는데
싫다면
떠나도 좋아

봐줘

김세은

제발

나 봐줘

이정도면

봐줄만 하잖아

이정도면

안아줄만 하잖아

이정도면

괜찮다할만 하잖아

이정도면

나만 좋아해줄 수 있잖아

이정도면

나만 한 번만 더 봐줄만 하잖아

웃어주면 안돼?

긴세은

웃어주면 안돼?
그대를 위해
웃어주면 안돼?
그대를 사랑하면
웃어주면 안돼?
그대가 좋으면서
한 번만
웃어주면 안돼?
진짜 안돼?
진짜?
진짜?

거짓말 거짓말 거짓말

김세은

구름이 태양이 없다고

거짓말한다

하늘이 달이 없다고

거짓말한다

그런데

니가 내가 싫다고

거짓말한다

그런데

거짓말이 맞을까

너도

거짓말이길

거짓말 거짓말 거짓말

여전히

김세은

여전히
너를 좋아해
여전히
너를 보고싶어해
여전히
너를 안고싶어해
여전히
네가 행복했음 좋겠다
여전히
네가 사랑받음 좋겠다
여전히
네가 인기있음 좋겠다
여전히

네가 리즈였음 좋겠다
여전히
네가 그대로였음 좋겠다
여전히
네가 변하지 않음 좋겠다
여전히
너의 그대로가 좋아

계속

김세은

계속

이 글은

네 곁에 있을게

계속

이 글은

너를

잊지 않을게

계속

이 글은

너를

담을게

계속

이 글은

너를 생각할게

그러니

너는

이 글을 쓴

나를 잊지마

어쩔 수 없잖아

김세은

너를 좋아하는데
내가 더 상처 받아야지
너를 좋아하는데
내가 더 사랑해야지
너를 좋아하는데
내가 더 안아줘야지
너를 좋아하는데
내가 더 사랑한다 해야지
너를 좋아하는데
내가 더 져줘야지
너를 좋아하는데
내가 더 아껴줘야지
너를 좋아하는데
내가 너를 더 행복하게 해야지

의리로 산다

김세은

가끔식이랴도
웃어보이면
큰일이리도 나나
가끔씩이라도
사랑해라고 자주하면
큰일이라도 나나
가끔씩이랴도
표현해보면
큰일이라도 나나
가끔씩이라도
바라봐주면
큰일이라도 나나

강아지

김세은

기다릴게요

당신이

집에 올때까지

기다릴게요

당신이

안정을 찾을때까지

기다릴게요

당신이

나를

바라봐줄 때까지

기다릴게요

당신이

나를

책임감을 가져줄 때까지
기다릴게요
계속
당신을
사랑할게요
기다릴게요

포옹

김세은

안아주는데
눈물이 난다
영원한게
없다는게
떠오른다

안아주는데
웃음도 난다
지금이 난
영원하게
행복하게
떠오른다

오늘 뭐했지

김세은

오늘 뭐 의미있는거

할려고

할려고

할려고

하다가

이만큼

지나가

있었네

오늘 뭐 의미있는거

하고 싶었는데

생각하고

생각하고

생각하고

생각하다가
이만큼
지나가
있었네
시간도
바람도
파도도
버스도
나를
기다려주지 않네

그냥 지나쳐도

그냥 지나쳐도

스쳐도

느껴지는게 있어

니가

슬프다는 거

그냥 지나쳐도

스쳐도

안돼는게 있어

니가

슬프다는 거

니가

스쳐도

그냥 지나져도

내 앞에서는
털어줬으면 해
슬프다는 거

괜찮아

김세은

니가

아무리

실패를 해도

괜찮아

니가

실패를 했으니까

괜찮아

아무리

실패를 해도

너는

괜찮아

니가

아무리

실패를 해도

나는

항상

괜찮아

.

날 사랑하고는 있니

김세은

날 사랑하고는 있니
날 지켜보고 있니
날 지키고 있니
날 보호하고 있니
날 기다리고 있니
날 사랑하고 있니
날 많이 사랑하고 있니
날 생각하고 있니
날 지키고 싶니
날 어떻게 생각하고 있니
날 기다리고 있니
날 궁금해하고는 있니
날 떠오르고는 있니

하나씩 하나씩

김세은

조급해 하지마
하나씩 하나씩
맞주어 나가고
있으니까
하나씩 하나씩
너한테 안기고
있으니까
조급해 하지마
하나씩 하나씩
너한테 그러고
있으니까
조급해 하지마

여름

김세은

여름이 되면
태양만큼
빛나는
나의 마음
태양만금
너에게
빛나는
나의 닌
태양만큼
핓나는
너에 대한
나의 마음
너에게

빛나라고
여름이 찾아왔나보다

상처 받기엔
아름다운 너에게

김세은

너는 상처 받기엔
아직 너무 아름다워

너는 상처 받기엔
아직 너무 아름다워서
아직 멈추지마

너는 상처 받기엔
아직 너우 아름다워서
아직 좌절하지마

너는 상처 받기엔
아직 너무 아름다워서
아직 울지마

너는 아직 성처 받기엔

너무 아름다워서

상처 받기에는 아까워

힘들어 하지마

겨울

김세은

겨울이

유난히 추웠던

이유는

니가

유난히 따스했기

때문이다

겨울이

우난히 추웠던

이유는

니가

유난히 보고싶기

태문이다

겨울이

유난이 추웠던

이유는

니가

유난히 그웠기

때문이다

꽃과 나비

김세은

진정한 사랑을

찾으려

나비가

꽃에게

간다

때론

꿀을 먹기도 하고

꽃에게

외면 당하기도

한다

괜찮다

그컷도

진정한 사랑이기에

전정한 사랑을
찾는 것이
진정한 사랑이
아닐까

우리 동네

김세은

애들 많은 곳에
헤어샵이 웬말이냐
애들 많은 곳엔
떡볶이가
애들 많은 곳엔
김밥이
애들 많은 곳엔
라면이
애들 많은 곳엔
어묵이
애들 많은 곳엔
편의점이
우릴 기다려줘야되는거
아니냐

여자친구

김세은

너 나의 여유

너 나의 쉼터

너 나의 휴식

너 나의 행복

너 나의 웃음

너 나의 해소

너 나의 이상

너 나의 요구

너 나의 풍경

너 나의 바다

너 나의 터전

너 나의 자리

너 나의 장소

너 나의 선물

너 나의 곁에

너에게

김세은

피어줘

하늘에 웃어줘

햇빛을 받아줘

나를 받아줘

나비를 받아줘

꿀벌을 받아줘

꽃이 지지 말아줘

꺾이지 말아줘

행복해줘

달콤해줘

나와 함께해줘

나를 받아줘

무엇을 하든지

김세은

무엇을 하든지

너만 믿는다면

무엇을 하든지

너대로 한다면

무엇을 하든지

너만을 위하면

무엇을 하든지

너만 좋다면

무엇을 하든지

너만을 사랑한다면

무엇을 하든지

너만을 생각한다면

무엇을 하든지

너만은 응원할게

너만은 믿을게

별

김세은

저 별을

따주진 못하더라도

저 별을

내 눈에 담아서라도

저 별을

너에게도

전해주고 싶어

저 별을

따주진 못하더라도

저 별을

내 마음에 담아서라도

너에게에게도

저 빛나는 내 마음을

네에게도
전해주고 싶어

구름

김세은

너의 자유로움이
너의 자유가 되길
너의 하늘이
너의 것이 되길
너의 산이
너의 것이 되길
너의 인생이
너의 주인공이 되길
너의 숨이
너의 진정한 숨이 되길
너의 노력이
너의 진정한 노력이 되길
너의 행복이
너의 진정한 행복이 되길

전부

김세은

나의 전부를 보여줄게
나의 전부를 줄게
너의 전부를 사랑할게
너의 전부를 놓치지 않을게
나의 전부를 놓치지 말아줘
나의 전부를 사랑해줘
나의 전부를 안아줘
나의 전부를 이해해줘
너의 전부를 안아줄게
너의 전부를 이해해줄게
너의 전부를 감수할게
나의 전부를 감수해줘

거울

김세은

따라하지마

넌 그 사람이 아냐

따라하지마

너잖아

넌 그 사람이 아냐

너잖아

넌 그 사람이 아냐

너잖아

넌 그 사람을 그대로 사랑해줘

거울을 봐

너잖아

따라하지마

넌 그 사람이 될 수 없어

거울을 봐

너잖아

따라하지마

그 사람을 그대로 사랑해줘

비행기

김세은

어느 항공사로 가야

너에게 도착할 수 있을지

뭘 챙겨가야할지

어떤 여권을 들고 가야할지

어느 항공사 법규가 있는지

어느 항공사 에티켓을 지켜야 하는지

어떤 나라인지

어떤 문화인지

얼마를 챙겨가야할지

얼마나 기다려야할지

얼마나 설레는지

너는 알고 있니

내가 좋아하는 이유

김세은

너를 좋아하는건

나도 모르게

좋아하는게

이유가 없는게

내가 좋아하는 이유야

너를 좋아하는건

나도 모르게

너만 있으면

좋아지는게

내가 좋아하는 이유야

나도 모르게

너만 있으면

설레는게

내가 좋아하는 이유야

낙오

김세은

떨어진다고

땅이 없을까

결국에는

땅이 없을까

결국에는

땅이 있을꺼야

결국에는

땅에서 올라갈 수 밖에 없을거야

결국에는

떨어질 수 없을꺼야

떨어져봐

어디까지

떨어질 수 있을까

손 같은 당신

김세은

주는 것에 익숙한 당신

항상

손을 잡고 있다

항상

나에게 내밀고 있다

항상

안아주고 있다

항상

다가가고 있다

항상

잡으려하고 있다

항상

건네주고 있다

항상
따스하고 있다

햇살

김세은

뜨겁게
나를 안아줘
아침에도
낮에도
밤에는 자더라도
나를 안아줄래
뜨겁게
나를 사랑해줘
아침에도
낮에도
밤에는 자더라도
뜨겁게
나를 사랑해줘

뜨겁게

꽃을 피워줘

꽃을 키워줘

잡초를 키워줘

나무를 키워줘

아파트

김세은

너의 마음에

차곡차곡

쌓이고 싶어

너의 마음에

차곡차곡

이주하고 싶어

너의 마음에

차곡차곡

집 짓고 싶어

너의 마음에

차곡차곡

살고 싶어

너의 마음에

차곡차곡
들어가고 싶어

도로

김세은

굴러봐

나는 굳건할 테니

눌러봐

나는 그대로일 테니

밟아봐

나는 눈 꿈쩍 안할 테니

뱉어봐

나는 복구될 테니

버려봐

나는 돌아올 테니

걸어봐

나는 안무거울 테니

앉아봐
나는 안망가질 테니
쓸어봐
나는 안무너질 테니

산

김세은

너를 넓은 마음으로
너를 품어줄 수 있길
너를 더 이해할 수 있길
너를 더 사랑할 수 있길
너를 더 바라볼 수 있길
너를 더 지켜볼 수 있길
너를 더 알아볼 수 있길
너를 더 알아갈 수 있길
너를 더 존경할 수 있길
너를 더 응원할 수 있길

비

김세은

오늘 나는 내립니다

오늘 나는 날씨는

비입니다

오늘 나는 눈가 날씨는

비입니다

오늘 내 다리의 날씨는

호우 주의보

오늘 내 자리는 물웅덩이

오늘 내 책상은 물웅덩이

오늘 내 뺨의 날씨는 비

오늘 내 기분은 비

오늘 내 기억은 비

오늘 내 행동은 비

오늘 나는 태풍 그 자체

오늘 나는 돌풍 그 자체

여름이었다

김세은

나에게는

차갑게

눈 내리던 날

따스싸게 대하주던 너

여름이었다

내가

차갑게

대하던 날

따스하게 대해주던 너

여름이었다

네가

비가
내리던 날
난 몰랐다
여름이 지날지
나의
마지막
여름이었다
우산이라도
씌어줄 걸

옷걸이

김세은

마음을 걸어두고 싶다

차량을 걸어두고 싶다

통장을 걸어두고 싶다

사랑을 걸어두고 싶다

추억을 걸어두고 싶다

아들을 걸어두고 싶다

자녀를 걸어두고 싶다

인생을 걸어두고 싶다

모두를 걸어두고 싶다

거리

김세은

도로와 도보 거리가 아닌
도보와 도보 거리가 되고 싶은
자동차와 사람 거리가 아닌
사람과 사람 거리과 되고 싶은
이웃과 이웃 거리가 아닌
친구와 친구 거리가 되고 싶은
친구와 친구 거리가 아닌
단짝과 단짝 거리가 되고 싶은
나는 소원과 소원의 거리가 아닌
현실과의 거리가 되고 싶은

속력

김세은

망설이지 말고
속력을 내줘
힘내줘
망설이지 말아줘
널 믿어줘
무너지지 말고
널 알아줘
힘내줘
무너지지 말아줘
부딪쳐줘
더 해줘
더 도전해줘

눈물

김세은

이 흘리는 눈물이

너 자신을 위해 흘리길

이 흘리는 눈물이

너 자신을 위해 흘린다 해도

이기적이라

부끄러워하지 않길

이 흘리는 눈물이

너 자신을 위해

한 방울이라

두 방울이라

세 방울이라

아깝지 않군

남김 없이 다 흘리길

삶의 이유

김세은

살다보면

죽고 싶을때도 있지만

굳이 죽어야하나 싶다

살다보면

죽고 싶을때도 있지만

굳이 죽어야야지만 하나 싶다

살다보면

죽고 싶을때도 있지만

굳이 죽어야하기만 해야하나 싶다

살다보면

죽고 싶을때도 있지만

굳이 다른 방법은 없나 싶다

이야기

김세은

언제나

눈물로 시작되는

우리 이야기

누가

우리 이야기

멈추어줬으면

그냥 이야기였으면

현실이 아니였으면

언제나

등장인물은

정해져있고

같은 패턴에

같은 일상에
누가
우리 이야기
멈추어줬으면

계단

포기하지마

넌 할 수 있어

내가 많은게 아니라

니가 나약한게 아닐까

내가 많은게 아니라

니가 겁먹은게 아닐까

내가 많은게 아니라

니가 무서워하는게 아닐까

떨지마

넌 할 수 있어

올라갈 수 있어

난 언제나 여기에 있어

기다려줄게
어디가지 않아
넌 할 수 있어
시간은 중요하지 않아
속도는 중요하지 않아
올라가기만 해
계단이 안보이기만 해
계단이 없어지기만 해
목표까지 올라가기만 해

미녀

김세은

알 수 없는 매력이 있어

그녀에겐

빠져들 수 밖에 없는 매력이 있어

그녀에겐

중독성이 심해

그녀에겐

담배보다 중독성이 심해

그녀에겐

그래서

금연구역에는 못들어가

술보다 취하게 만들어

마약보다 위험해

그녀에겐

그래서

사람들한테 위험해

그녀에겐

그래서

술집은 위험해

배게

김세은

너의 곁에

있고 싶은걸

너의 곁에

안기고 싶은걸

너의 곁에

지켜주고 싶은걸

너의 곁에

잊혀지고 싶지 않은걸

너의 곁에

있게 해줘

너의 곁에

함께 해줘

나의 곁에

있어줘

나의 곁에

웃어줘

나의 곁에

편하게 대해줘

이불

김세은

너는 감싸주기에
너무 차가워
다가가기에 쉽지 않았다
너는 감싸주기에
너무 빛이 나서
안아주기에 쉽지 않았다
너는 감싸주기에
너무 좋은 사람기에
널 품기에 쉽지 않았다
너는 감싸주기에
너무 사랑스러워서
널 안기에 쉽지 않았다

바다

김세은

그저
흐르는대로
그저
그대로
그저
니 모습을
그대로
인정는대로
그대로
그저
그렇게
살자
그저
그렇게
흐르는대로
살자

의자

김세은

힘들면 기대요

힘들면 있어요

힘들면 앉아요

힘들면 쉬어요

힘들면 멈춰요

힘들면 함께해요

힘들면 얘기해요

힘들면 구해줄게요

힘들면 언제든지 말해요

옷

김세은

니가 나를 찾아주길
기다렸어
니가 나를 골라주길
기다렸어
니가 나와 함께하길
기다렸어
니가 나와 함께해줘
니가 나를 골라줘
니가 나랑 놀러가자
너랑 나랑 떡볶이 집은 어때
너랑 나랑 친하다는 흔적을 남기자

발　행 | 2024년 07월 29일

저　자 | 김세은

펴낸이 | 한건희

펴낸곳 | 주식회사 부크크

출판사등록 | 2014.07.15.(제2014-16호)

주　　소 | 서울특별시　금천구　가산디지털1로
119 SK트윈타워 A동 305호

전　화 | 1670-8316

이메일 | info@bookk.co.kr

ISBN | 979-11-410-9761-5

www.bookk.co.kr